KB103708

쓰면서 읽는 내 마음

작은도서관에서
인생을 씁니다

작은도서관에서 인생을 씁니다

쓰면서 읽는 내 마음

발 행 | 2024년 7월 1일

저 자 | 나무늘보, 삼분카레, 헬로하이디, 일과삶

펴낸이 | 한건희

펴낸곳 | 주식회사 부크크

출판사등록 | 2014.07.15(제2014-16호)

주 소 | 서울특별시 금천구 가산디지털1로 119 SK트윈타워 A동 305호

전 화 | 1670-8316

이메일 | info@bookk.co.kr

ISBN | 979-11-410-9106-4

www.bookk.co.kr

쓰면서 읽는 내 마음

작은도서관에서
인생을 씁니다

나무늘보, 삼분카레, 헬로하이디, 일과삶 지음

CONTENT

제3화 헬로하이디가 사는 법

제4화 꾸준하게 실패하고, 꾸준하게 성장합니다

프롤로그

일과삶

책방지기 꿈을 위해 재능기부합니다

작은도서관에서 봉사하는 문우가 쓴 "도서관에 더 많은 이용자를 늘리기 위해서 더 많은 모임을 개설해야 한다. 그러기 위해서는 재능기부 하실 분, 세미나를 이끌어 갈 분들을 발굴하는 데 주력하자."라는 글을 보고 무작정 손을 들었습니다. 뭐라도 제가 할 수 있을 것 같고 또 재미있을 것 같았습니다. 요즘 저는 새로운 영역에 도전하고 마음이 조금이라도 동하면 선뜻 손을 듭니다.

《이러다 잘될지도 몰라, 니은서점》을 읽었습니다. 2018년 연신내에 독립서점을 시작한 사회학자의 운영기인데요. 서점 위치를 알아보는 것부터 상세히 알려줘서 현실감 있게 다가왔습니다. 책을 읽다 실제 니은서점이 아직도 있는지 확인해 봤을 정도로 응원하고 싶었습니다. 책을 읽으며 계속 미래의 책방을 상상하고 시뮬레이션했습니다. '이러다 나도 책방 열지도 몰라'라고 생각했습니다.

책방을 열고 싶다는 이야기를 하면 주변에서 엄청 말립니다. "커피머신 값이 얼마나 비싼데 그걸 어떻게 감당하며, 월세는 어떻게 내고, 관리비도 감당이 안 된다. 그냥 온라인으로 모임이나 하며 편하게 살아라."는 이야기를 많이 들었습니다. 그러게요. 괜히 나이 먹어 일 벌였다가 노후대책도 마련하지 못하고 쫄딱 망하지는 않을까 싶더군요. 한때는 바리스타 자격증을 따겠다고도 선언했지만, 값비싼 커피머신 값에 무너졌습니다. 그런데 니은서점은 월세가 저렴한 은평구에서, 오로지 책만 판다고 하니 희망이 조금 보였습니다.

왜 제가 책방지기를 꿈꾸는지 깊이 생각했습니다. 분명 돈을 벌기 위한 수단은 아닙니다. 그렇다고 제가 부자여서 운영비를 쏟아부으며 운영할 순 없습니다. 최소한의 관리비를 감당한다는 전제에서 왜 책방을 열고 싶은지 고민했어요. 책 속에서, 책을 좋아하는 사람과 시간을 보내고 싶다는 열망이더군요. 여기에 더해 가진 책을 나누고, 가능하다면 제 책도 팔고, 작가가 되고 싶은 분의 책도 내어주고 판매도 하고 싶은 마음입니다.

그게 꼭 제 책방을 열어야만 가능할까요? 책 속에서, 책을 좋아하는 사람과 시간을 보내려면 다른 서점이나 도서관에도 할 수 있습니다. 가진 책을 나누는 건 언제든 가능하죠. 제 책도 팔고, 작가가 되고 싶은 분의 책도 내어주고 판매도 하는 건 쉽지 않지만 단지 그것을 위해 많은 걸 희생해야 할지는 잘 모르겠습니다. 아직 시간이 있으니 조금씩 준비해 가며 고민해야겠죠.

독립서점과 관련된 책을 읽고 아이디어를 얻는 것도 좋고, 실제 방문하는 것도 도움이 되겠죠. 가장 좋은 방법은 일단 부딪혀 보는 겁니다. 재능기부에 손들길 잘했다 싶었습니다. 내 책방이라 생각하고 독서토론도 하고 글쓰기 모임도 운영하는 거죠. 투자 하나 없이 온전히 원하는 삶을 누리는 거니까요. 그렇게 '우리의 첫 책 출간 프로젝트 @고래이야기'이 탄생했습니다.

고래이야기는 사회적협동조합 작은도서관으로 동네 주민들의 후원금으로 임차료와 전기세를 감당한답니다. 직장인이 격주로 토요일에 1시간 걸리는 거리를 이동해서 2시간의 시간을 보내고 또 1시간 걸려 돌아가는 게 쉬운 일은 아닙니다. 그래도 좋은 기회라고 생각합니다. 일단 작은 도움이라도 손을 내밀 수 있어 감사하고, 제가 그렇게 꿈꾸는 책속에서, 책을 좋아하는 사람과 시간을 보내는 거니까요. 현장 글쓰기도 말로는 많이 들었는데 직접 해보지 않아 기대됩니다. 도서관을 빌어 원하는 경험을 하는 것만으로도 충분히 만족스럽지 않을까 싶기도 합니다. 그러다 욕심이 더

생기면 그때 책방을 열어도 되니까요.

이 책은 '우리의 첫 책 출간 프로젝트 @고래이야기'의 첫 결과물입니다. 합평으로 의견을 나누며, 글을 다듬었습니다. 책 읽고 글 쓰는 사람의 궁극적인 로망은 결국 자신의 이름으로 된 책을 내는 게 아닐까요? 저 역시 그랬습니다. 죽기 전에 책 한 권 내는 게 제 버킷리스트 1호였습니다. 운 좋게 기획출판으로 책을 두 권 내었지만, 세상에는 다양한 방법이 있다는 걸 알았습니다. 돈 한 푼 안 들이고 책을 낼 수도 있고요, 돈을 엄청 들여 책을 낼 수도 있다는 걸 알았습니다. 가장 좋은 건 기획출판이지만, 여러 가지 시도해 보는 것도 좋다고 생각합니다.

함께 도서관에 모여 책을 내는 프로젝트를 시작했습니다. 각기 다른 영역에서 자신의 삶을 꾸려온 4인의 이야기가 독자 여러분의 마음에 다가가길 기대합니다.

제1화

나는 돌아가지 않는다

나무늘보

어마이, 배고파요

오늘도 형수는 나에게 눈칫밥을 준다. 딱히 굶는다고 할 수도 없지만 눈칫밥은 이상하게도 배가 부르지 않다. 한참 자랄 열댓 나이, 전쟁 몇 년 후 약하게 태어난 내 몸은 작고 비쩍 말랐다. 어마이는 만날 큰아덜 큰아덜, 큰성은 나와는 스무 살이나 차이 나니 밖에서 보면 아부지뻘이다. 전쟁통에 성님 아래로 있던 성님이었는지 누이였는지도 모르는 두 명이 죽어 나와는 나이 차이가 크다. 큰성의 큰 조카는 나보다 두 살 어린데도 키도 크고 살집이 두둑하다. 이야기를 들으니, 조카는 중학교에 입학하자마자 고등학교를 준비 한단다. 귀한 장손이라서. 나도 고등학교 가서 잘할 수 있는데 다섯째인 나에게는 기회가 없다. 나는 이 집에 있어도 없어도 상관없는 투명 인간 같다. 밥이든 사랑이든 한번 배부르게 먹어보고 싶다. 작은 그릇에라도 소복하게 가득 담아 나만을 위해.

"벅에 있는 옥시기 먹어두 되유?"

"밥 묵은지 월매나 댔나. 뱃속에 그지가 들었나? 씰네없는 소리 말고 밭고랭 짐매는 거이나 얼른얼른 도우러 가라."

"야..."

나는 바람처럼 구름처럼 살고 싶다. 살랑이는 바람이 좋고, 강아지가 좋고, 노래하는 게 좋다. 하지만, 이 집에서 그림자 같은 나에게는 어마이도 관심이 없고 아부지는 만날 술이나 마신다. 애초 허약하게 태어나 얼마 못 살거라 생각하고 일부러 정을 붙이지 않았을지도 모른다. 그런 사이 형수가 거의 어마이 노릇을 했다. 어쩌면 내 기저구까지 갈아줬을지도 모른다. 하긴, 어마이가 막내 여동생을 낳을 때보다 먼저 큰 조카들을 봤으니, 힘든 건 매 마찬가지인데 메느리라는 이유로 밭일이며 벅일이며 시집살이를 엔간히 했겠다. 그러니 내가 예뻐 보일 리 없겠지. 오늘도 고픈 배와 고픈 가슴으로 잠든다. 밤하늘은 참 맑다. 잠이 들려는데 밖이 소란스러워진다.

"아색히들 다 뭐해! 아부지 들어왔는데 인사도 안 해!"

술이 고주망태가 되어 들어온 아부지가 또 저러한다. 도대체 뭐가 저리 화가 날까? 불이 나지 않았는데도 집이 활활 타는 듯 빨강이다. 툇마루 방에 들어가 한번 헤집고 나오면서 멀쩡한 문을 또 부순다. 아구구구, 큰성, 형수, 손위 누이, 여동생, 이제 결혼을 앞둔 작은성, 어린 조카들, 여기저기서

난리다. 시집간 큰누나는 이 꼴을 안 봐서 좋겠다.

"아색히들 버르장머리를 어떻게 들였어! 네년이 잘못이야!"

종착에는 또 어마이 머리채를 잡는다. 이번에는 들고 있던 지파이로 때린다. 큰성과 작은성이 잡아보려 하지만 술기운이 이긴다. 아부지가 손에 들고 왔던 술병들과 어마이가 나뒹군다. 여동생과 조카들은 끽소리도 못 내고 운다.

난 늘 배가 고팠지만 키는 어느새 다른 사람들보다 머리 하나는 크게 자랐다. 홍천에서 중학을 마친 뒤 무작정 상경했다. 이제는 라면이 형수의 눈칫밥을 대신한다. 내 키는 아무리 봐도 라면의 키다. 공장에서 일을 하지만 그래도 눈치 안 보고 먹을 수 있으니, 여기가 천국이다. 돈 많이 벌어 좋은 전축도 살 것이다. 가수가 돼볼까? 하지만 아직 배움에 대한 아쉬움이 크다. 좀 더 배웠으면 라면 말고 밥을 먹을 수 있을 텐데.

고향 집 건넛마을 꽤 사는 집과 중매로 이어졌다. 아부지들끼리 이야기했다나 뭐라나. 국민학교 동급생이었는데 예나 지금이나 참 예쁘다. 학교 다닐 때는 내가 머리 하나 작았는데 그때 한참 컸던 그 여자애는 내 어깨 정도의 아담하고 참한 숙녀가 되었다.

차라리 없는 게 나았을까?

큰형수는 나에게 눈치 준 것도 모자라 내 마누래까지 업신여기는 듯하다. 하지만 뱃속의 아도 있고 돈을 벌어야 해서, 혼자 외지로 나갔다.

농새 보다는 아무래도 서울서 일하는 게 벌이가 좋다. 계절이 몇 번 지나고 그럭저럭 셋방 얻을 만한 여력이 생겼다, 그런데 아를 낳은 지 일주일 지나서야 전보를 받고 고향 집으로 갔다. 도착하자마자 큰성에게 왜 이리 연락이 늦었나 채근하니 "아 낳는 게 뭐 그리 대순감? 뭐 저래 난리 통을 부린대?"라며 형수가 눈을 흘기며 들어가 보라 눈짓한다. 마누래는 꼬박 2일을 산파의 도움도 없이 산통을 하고 어렵게 아를 낳았다. 아직도 얼굴에 실핏줄이 터져있고 손발이 퉁퉁 부었다.

얼마 지나지 않아 내 일하는 곳 근처에 우리만의 살림을 차렸다. 조촐하지만 눈칫밥도 아닐뿐더러 라면을 먹지 않아도 된다. 큰애가 돌이 되기 전 둘째를 가졌다. 그것도 쌍둥이란다. 기쁘기도 했지만 요즘 다니는 직장에서 몇 달째 월급을 반밖에 안 줘서 뭔가 걱정된다. 내가 좋은 아부지가 될 수 있을까? 마침 직장 동료가 한전에서 직원을 뽑는다고 같이 지원을 해보자고 한다.

내가 운신할 수 있는 상황이 안돼 대신 마누래가 마포에 있는 본사에 지원서를 내었다. 이야기를 들으니 지원하는 줄이 문밖까지 한참을 이어져 있었다고 하는데 자그마한 만삭의 임산부가 애까지 업고 있어 먼저 손짓하고 지원서를 내도록 했단다. 함께 가자고 한 동료는 떨어지고 나만 붙었다. 이제 살림이 좀 피려나.

한겨울에 산달이 되어 고향으로 돌아간 아내는 정말 죽을 만큼의 산통을 하며 쌍둥이를 낳았다. 가뜩이나 작은 체구에 쌍둥이라니 처가 가족들이 걱정하며 읍내 병원으로 데려갔다. 뭐가 잘못된 것인지 출산 직후 고열로 사지를 떨고 있는 아내에게 시골병원 의사는 한겨울 바깥 눈을 퍼다가 그 작은 몸 위에 올려놓고 있다.

"뭐 잘했다고 병원에서 애를 나? 서방 등골 빼 먹을라고 둘이나 났네!"

죽다 살아나 벌벌 떨고 있는 메느리를 보고도 시어마이는 이런 말을 들리게 한다. 그런데도 아무 말 못 하는 나는 바보 천치다. 처가 식구들 볼 낯이 없다.

개구리가 깨어난다는 경칩 즈음 뻑적지근하게 아부지 환갑 잔치를 했다. 이틀 후에는 쌍둥이 아들들이 태어난 지 백일 되는 날이기도 하다. 잔치 후에는 윗마을 산골짜구 암자에서 보살 하는 고모가 집안이 평안하고 넉넉하기를 비는 집 굿을 하기도 했다. 그러면서도 어마이와 형수를 중심으로 병원에서 아를 낳았느니, 사주에도 없는 쌍둥이를 낳았다느니, 분유를 멕인다느니 삼삼오오 마누래 숭을 본다.

저녁이 되어 쌍둥이들은 잠투정을 하느라 뻑뻑 울어대서 마누래는 바로 근처의 둘째 성님 댁으로 갔다. 그 사이 가족들은 노래하고 춤추고 또 다른 잔치를 벌이며 흥이 무르익었다. 애들을 재우고 온 쌍둥이 엄마는 왜 자기는 부르지 않았냐며 말했는데 그 말을 들었는지 옆에 있던 여동생이,

"상전 납셨네, 상전 납셨어. 모시러까지 가야 해? 집안에 손님들도 있는데 쳐 자다 이제 오나? 요샌 병원에서 아도 난디야."

라며 빈정댄다. 분명 어마이가 숭보는 것을 그대로 받아들이는 모양이다. 흥을 깨는 정적이 흘렀고, 집안 식구들이 나를 쳐다본다.

"짝!"

내 손은 마누래 손을 잡는 대신 위로 올라가 마누래의 뺨으로 향했다. 이후 그 손은 여동생의 뺨도 때렸다. 가족들은 내가 여동생을 때렸다며 난리고, 마누래는 뺨을 잡은 채 눈물을 떨구며 주저앉았다. 순간 내가 무슨 짓을 한 건지 눈앞이 캄캄하다. 그 와중에 내 사주에는 없는 아들을 둘이나 낳았다며 네 아들이 아니라고, 내 등골만 빼먹을 거라는 어마이와 보살 고모의 말이 머릿속에 맴돈다. 난 도대체 무슨 생각을 하는 것인가?

이후 회사에서 준 관사에 들어가 남부럽지 않게 살면서도 나는 집을 겉돌았다. 큰애마저 건넛마을 풍섭 아재를 닮은 것처럼 보인다. 열심히 공부해서 대학까지 나오면 뭐 하는가? 다 소용없다. 내가 무엇을 하던 조건 없이 이해받고 싶다. 하지만 집 안에서는 위로를 찾을 수 없다. 대신 집 밖에는 나를 위로하고 추켜세워 주는 이들이 있다. 물론 술과 함께. 어마이 아부지를 향한 원망이 왜 마누래를 향하는 것일까? 아내도 바락바락 한 치의 물러섬이 없다. 아직도 난 늘 허기지고 모든 게 혼란스럽다. 난 참 못난 놈이다. 차라리 처음부터 세상에 없는 게 나았을까? 그럴수록 의지할 데는 술밖에 없다. 술.

한 여자의 삶

동네 고만고만한 농사꾼 집들에 비해 사정이 조금 낫다고는 하지만 7명 아들딸을 모두 건사하기는 어려운 까닭일까, 아니면 나는 다리 밑에서 주워 온 자식인가, 어디서 식모로 데리고 온 건 아닐까, 밭일 집안일을 쉴 없이 한다. 언니 둘은 이미 외지에 나가 있고, 오빠는 고등학교에, 남동생 두 명은 중학교에 다닌다. 막내 여동생은 아직 어리고 일 못한다고 덜 시킨다. 16살, 나도 아직 하고 싶은 게 많지만, 생각하는 것도 사치로 느껴진다. 아부지는 나름 나를 예뻐해 주시며 내 손이 제일 야물딱시러 누구보다 하는 일들이 미쁘다시지만, 그 말이 칭찬으로 들리지 않는다. 우리 집은 첫째 딸이 아니라 셋째 딸이 살림 밑천인가 보다.

꽤 공부를 잘해 학교 선생님이 집까지 찾아와서 계속 공부시키라고 부모님께 권했지만, 엄마 아부지는 지지배가 무슨 공부냐며 손사래를 쳤다. 엄마는 말끝마다 아들아들, 장손장손, 아들들만 공부시키면 된단다. 나도 멋진 선생님이 되고 싶었는데, 졸업 후 나이를 한 살 한 살 먹을 때마다 원하던 삶은 뽑힌 풀처럼 시들고 멀어져 간다. 시간이 흐를수록 시들다 못해 바싹 말라 불쏘시개가 될 것이다. 언니들과 다르게 살고 싶었지만, 마른풀은 할 수 있는 게 없다. 마지 못해 발걸음을 돌린 선생님께 받은 손때묻은 단편소설집만이 나를 위로한다.

내가 아는 세상은 그간 듣고 본 것들이 전부일 수밖에 없다. 몇 년 후 언니들이 거쳐 간 길을 따라 상경하여 미싱공이 되었다. 하루 종일 먼지 날리는 답답한 공간에서 일하는 게 쉽지 않다. 하지만 여기서도 일 잘한다고 일감을 더 얹어 주는 것을 보니 난 평생 소처럼 일만 할 팔자인가 보다. 못한다고 쫓겨나는 것보다는 낫다고 위안 삼아야 하나.

하지만 힘듦은 일터에만 있지 않다. 나의 일은 집에서도 이어진다. 서울에 와서도 난 여전히 대학 다니는 오빠를 뒷바라지한다. 식모로 딸려 보낸 것 아닐까? 막내 여동생도 함께 상경해 같은 직장을 다니고는 있지만 집안일이 서툴다, 전부터 손에 구멍 났다는 엄마 표현이 딱 맞는다. 노력할 생각은 없고, 고향집서처럼 탱자탱자한다. 대신 공장에서 만난 미싱 수리하는 총각이랑 연애하러 돌아다니느라 바쁘다. 부러우면서도 얄밉다. 그보다 더욱 귀한 대학생 오라버니는 당연히 손 하나 까딱할 리 없다. 언니들은 장손 굶지 말라고 집에서 먹을 것들을 넉넉히 챙겨 주시니 감사하란다. 고단한 삶은 언제쯤 끝날까.

여기는 어디고 나는 누구일까? 징그러운 벌레 한 마리가 이불속으로 들어왔다. 그 벌레는 내 몸을 탐한다. 처음에는 쭈뼛거리더니 이제 대놓고 내 몸 위를 기어다닌다. 나는 겁에 질려 가만히 있었지만 이내 소리를 지르며 뛰쳐나간다. 하지만 문이 잠겨 있고 아무리 소리를 질러도 대답이 없다.

"언니! 동생아! 이건 아니잖아! 엄마! 아부지! 이건 아니잖아요!"

혼기가 되어 결혼했지만 내 삶은 과거에 비해 나아지지 않았다. 결혼 24년, 물론 행복한 순간도 있었다. 아이들은 나를 살아있게 하는 힘이었다. 하지만 시어마이는 쌍둥이 낳아 서방 등골 빼먹는다는 소리를 계속했고, 하다 하다 못해 남편이 월급을 꼬불쳐 술 마시는 데 탕진한다는 것을 알렸는데도 지가 벌어 지가 쓴다는데 뭐가 문제냐며 외려 호통쳤다. 그런 되지도 않는 말에 남편은 의기양양하다. 그런데도 나는 순진하게 소처럼 열심히 살고, 애들 열심히 키우고 헌신하면 언젠가 누군가는 알아주리라 믿었다. 하지만 그런 일은 없었다.

"쿵, 쿵, 쿵, 쿵"

밤 깊은 시간 집 계단을 오르던 발소리는 생각만 해도 몸서리가 쳐진다. 도대체 뭐가 다르길래 발걸음 소리만 들어도 술을 마시고 오는지 아닌지 알 수 있었던 걸까? 내 고막은 여러 차례 파열되었고, 벌거벗겨져 완력으로 집 밖으로 내몰리기도 하고, 뜨거운 라면 국물과 칼로 위협도 받았다. 덕분에 내 몸은 성하지 않다.

밖에서는 착한 인간이다. 직장 상사와 그 상사의 딸내미를 위해서 기꺼이 기사가 되는 호구 노릇을 하며, 정작 우리 아이들은 등교할 때 한 번도 태워주지 않던 인간. 결혼기념일까지 술을 처마시고 들어와 행패 부리고, 생각만 해도 치가 떨린다. 그 인간은 내 말은 듣지도 않고 다른 사람 말은 깔때기처럼 듣는다. 애들은 머리카락 나는 방향까지 아빠를 닮았는데도 자기 팔자에 아들이 없다는 시고모와 시어마이의 말만 듣고 술만 먹고 들어오면 내 자식이 아니라며 헛소리를 지껄였다.

'이젠 끝내야 해. 이러다 난 죽는다.'

'생각이 없구나. 다들 힘들지 않은 사람이 어디 있어?'

'꿈꾸던 삶은 어디로 갔는가? 이렇게 사는 게 사는 것인가?'

'당장 뭐 해 먹고 살 건데? 애들 학비는?'

'그게 뭐! 내가 죽으면 그게 다 무슨 소용인데!'

내가 원하는 삶과 자유, 열심히 살면 언젠가는 주어질 거로 생각했는데 아니었다. 이제 나 스스로 자유를 주겠다. 난 자유다.

나는 돌아가지 않는다

세상에 당연한 건 없다. 남자라는 이유로 더 존중받을 이유도, 폭력을 참고 살아야 할 할 이유도 없다. 신은 우리에게 똑같은 무게를 주었는데 누가 그것을 파괴하는가? 무엇이 우리를 관습에 얽매는가. 나는 길들지 않을 것이고, 나의 자식들 또한 그럴 것이다.

지옥과도 같았던 시간은 4년 전 끝났다. 언제 무슨 일이 벌어질지 몰라 나도, 아이들도 모두 숨죽이고 살았던 시간은 끝났다. 물론, 이제부터 나의 힘으로 살아야 한다. 이혼 당시 갓 대학을 졸업했던 첫째 아이는 자기가 하고 싶은 일을 고민할 새 없이 돈벌이가 되는 일을 찾아야 했고, 군대 있던 아들들도 복학하는 대신 취직을 하거나 장학금을 받으며 자기 용돈벌이 아르바이트를 했다. 나는 고깃집에서 일하며 근근이 살아가야 했다. 그럼에도 아이들은 진작 헤어졌어야 한다고 한다. 하루도 편할 날 없이 긴장감으로 채워져 있던 집은 이제야 비로소 평화를 찾았다.

몸의 상처가 더 아플까, 마음의 상처가 더 아플까. 그 우열을 가리기 힘들지만 어쨌든 난 결단했고, 실행했다. 그도 부족한 인간이라는 걸 안다. 하지만 이젠 난 나 자신을 위해 살기로 했다. 큰딸의 결혼식에도 절대 발붙이지 못하게 했다. 너무하다고 생각할 수 있으나 절대 연락도 하지 말라고 딸에게 신신당부했다. 하지만 정작 나를 당황하게 한 건 나의 형제들이었다. 이혼 후 몇 년 후 힘든 상황에서 치르는 큰일이었는데도 그 누구 하나 도움이 없었을뿐더러 잔치 당일 나와 함께한 사람도 없어 밥을 혼자 먹어야 했다. 외롭다. 내 기대가 너무 컸던 탓일까?

사실, 이혼 후 뭔가 느낌이 달라졌다. 집안 모임 때 나를 불편해하는 기색이 있었고, 미묘하게 소외되었다. 남편의 그늘을 잣대로 정상과 비정상을 나누는 듯했다. 명절 때 꼭 들렀다 가던 포천 남동생이 발걸음을 끊었고, 명절 때 인사하러 가면 차려주던 첫 밥상도 이젠 없다.

언니들은 아이가 없다. 이유는 모른다. 오빠는 나보다 조금 늦게 장가를 들어 늦게 자녀를 보았다. 덕분에 우리 큰딸이 친정 형제가 낳은 첫 번째 아이가 되었고, 자연스럽게 큰딸이 낳은 아이가 그 항렬에서 첫 번째 아이가 되었다. 하지만 그건, 내 생각이었나? 오빠네 조카 정식이가 아이를 낳고 난 후 전에 느끼지 못한 차별을 느꼈다.

"정식아, 네 딸 00이가 우리 집의 첫 번째 자손이다!"

정식이의 첫째 딸 돌잔치는 참으로 뻑적지근했다. 집안 사람 누구 하나 빠지지 않고 참석했으니 말이다. 정식이가 결혼하기도 전 내 딸은 아이를 둘이나 낳았는데 둘째 언니는 꼭 저따구로 말해야 했을까? 그것도 우리 딸이 애를 안고 있는 앞에서? 형제라고 부르기도 아깝다. 이젠 '부모, 자식, 형제 따위의 한 혈통으로 맺어진'이라는 뜻의 육친으로 부르겠다.

그제야 육친들이 오래전 오빠네 조카들에게만 용돈을 주던 것도 생각이 난다. 왜 그땐 아무 생각 없이 지나갔을까. 아들, 장손 차별은 나에게서 끝나는 줄 알았는데 나의 아이들에게까지 이어지고 있었다. 아부지, 엄마가 살아계셨어도 저러셨을까? 세상은 이리도 변했는데 저들은 마치 깨어나지 않는 알처럼 그 안에서 생명력을 잃고 썩고 있다. 난 썩지 않고 태어날 것이다.

정식이 큰애 돌잔치보다 수년 전 우리 큰딸이 낳은 손주의 돌잔치에 형제는 아무도 오지 않았다. 애써 이해하려 했지만, 사돈댁 보기가 여간 민망한 게 아니었다. 쓸쓸했지만 넘어갔다. 하지만, 나의 막내아들 손주 돌잔치를 할 때 분명해졌다. 그때도 나는 분명 모두를 초대했으나 꼭 오겠다고 했던 둘째 언니와 막내 여동생마저 오지 않았다. 바로 전 정식이 둘째 아이 돌잔치에는 모두 참여하지 않았던가? 내 잔치에 못 온다는 핑계가 기르는 개가 아파서라느니 갑자기 일이 들어왔다느니 이해할 수 없는 것들이었다. 나의 송사가 개만도 못하구나. 그 서운함은 내 기억에 방아쇠를 당겼다.

내가 힘들고 외로울 때 나의 곁에 함께 해준 육친은 없었다. 나 혼자 천지 분간 못 하는 바보처럼 쫓아다니며 한 방향으로 몸과 마음을 쓰고 있었다. 그 노력만큼 배신감이 밀려왔다. 특히 저 점잔 빼고 있는 큰오빠. 그 잘난 대학을 나와 집안 기둥까지 뽑아 사업을 했지만, 홀라당 말아먹고도 받쳐주는 혈육들 덕분에 여전히 영광과 권력 위에 있다. 그렇게 온 가족의 추앙을 받지만, 나에겐 추악한 인간일 뿐. 나를 지키기 위해 그 기억을 끄집어내야 한다. 그래야 내가 사라지지 않는다.

오빠가 나에게 한 몹쓸 짓, 애써 용기 내어 끄집어낸 아픔을 다른 육친들에게 이야기했지만, 남자 형제는 물론 여자 형제까지 장손이 그럴 리 없다며 설사 그런 일이 있었더라도 그만 과거는 과거대로 묻어두고 지금까지 했던 것처럼 적당히 하라며 나의 가슴을 얼음덩이로 짓누른다. 나만 조용히 죽으면 되는 건가? 오빠는 귀하고 나는 천하단 말인가? 그래도 나름 마음을 터놓던 막내 여동생과 포천 남동생까지 그럴 줄은 상상하지 못했다. 다 똑같다.

전 같으면 참고 있겠지만 나는 이제 참지 않는다. 그대들이 나와 같지 않다면 나 또한 그대들같이 되리라. 참고 사는 것만 능사가 아니다. 가족 같지도 않은 것은 물론 남보다 못한 혈육들, 이제 나에겐 의미 없다. 이젠 내가 버리겠다.

내가 죽어도 오지 마라.

가짜 눈물 흘리며 슬퍼할 필요 없다.

남보다 못한 것들.

이혼을 결심한 순간부터 난 스스로에게 충실한 삶을 살겠노라 결심했었다. 육친들로 힘들기는 했지만, 그것으로 주저앉을 수 없다.

나를 사랑하는 방법은 공부로 이어졌다. 늦게 시작한 배움이지만 지식은 나를 더욱 자유롭게 했다. 전에 책과 잡지에서 봤던 게 이리저리 연결된다. 문학은 나의 지적 목마름을 해결했고, 영어는 더욱 큰 꿈을 꾸게 하고, 수학은 그 개념이 나를 놀라게 했다. 사회를 배우며 세상을 이해했고 과학은 내 몸과 날씨의 변화 기계의 원리를 이해하게 했다. 배움

자체가 기쁨이다. 아무리 힘든 시절이었다지만 여성에게도 배움의 기회가 평등하게 주어졌어야 했다.

미세먼지 없는 하늘이 유난히 맑다. 파릇파릇 봄의 나뭇잎이 아니면 가을이라고 해도 믿겠다. 비록 몸은 성한 곳 없지만 이렇게 좋은 햇살 아래 있다는 것 자체가 행복이고 기쁨이다. 내가 이렇게 여유롭게 문학 답사를 올 수 있을 거라고 과거에는 생각이라도 할 수 있었을까? 강원도 춘천의 김유정 문학촌의 녹음은 푸르고 푸르다. 얼마 전 다리를 다쳐 꼼짝 못 할 때 오늘 함께 온 독서 모임 사람들은 반찬이며 과일이며 혼자 사는 나를 챙겼다. 그것도 집에 들어오면 내가 챙길 것이 많아진다며 문 앞에 조용히 두고만 가기도 하는 마음이 고운 사람들이다. 내 주변에 나를 아껴주는 사람들이 있다는 건 정말 감사한 일이다. 그들이 진정한 나의 동반자이다. 물론 영원할 수 있는 관계는 아닐 수 있지만 난 내 옆에 있는 사람들을 위해 최선을 다할 것이고 지금, 이 순간을 위해 살 것이다.

마치고 돌아가는 길에 큰 딸내미 전화가 왔다.

"내가 자고 싶을 때 자고, 일어나고 싶을 때 일어나고, 먹고 싶을 때 먹고, 내가 공부하고 싶을 때 공부하고, 그 인간

있었으면 맨날 숨죽이면서 살아야 했을 거야. 안 그래?"

"그렇긴 해. 다친 다리는 괜찮아? 무리하지 마세요. 근데, 포천 삼촌네 둘째 기홍이가 결혼한다고 연락이 왔어. 그 말 하려고 전화했어. 어떻게 하실 거예요?"

나는 그 결혼식에 가지 않을 거다. 순간 마음속에 먼지가 일어나긴 하지만 난 이제 나 자신으로 살 거다. 과거로 절대 돌아가지 않는다.

제2화

나의 인생OO들

삼분카레

'가장'이라는 질문

"당신이 가장 재미있게 읽은 책은?"
"당신에게 가장 많은 영향을 끼친 사람은?"
"당신이 가장 감명 깊게 본 영화는?"

살아오면서 이런 질문을 하거나 받을 기회가 많았다. 어색한 분위기를 깨기 위한 목적이기도 하고, 외국어 공부할 때는 흔한 소통의 소재가 되기도 한다. 누구에게나 있을 수 있는 경험이기 때문에 공통의 화젯거리로 이만한 질문은 또 없는 것 같다. 이런 질문을 받을 때마다 난감했다. 많고 많은 선택지 중 어느 하나를 골라야 한다는 부담감 때문이다. 그 부담감의 원천은 '가장'이라는 문턱 같은 장애물에서 온다. 존경은 하지만 '가장'은 아니고, 감명을 받긴 했지만 '가장'이라는 말 때문에 주저했다. 내게 영향을 끼쳤던 사람은 한둘이 아니었고, 재미있게 읽은 책과 영화는 또 얼마나 많았던가.

조금의 주저함 없이 단박에 답을 하는 사람들을 보면서 부럽기도 했고, 그러지 못하는 내게 조급증을 내기도 했다.

여전히 난감하다. 좋았던 영화 중 하나를 찜한다. 그 앞에

'가장'이라는 말을 넣을만한가 하고 생각하면 주춤해진다. 영상이 좋아서 혹은 메시지가 감동적이어서 또는 배우가 맘에 들어서, 좋아하는 이유는 제각각인데 어느 것 하나를 콕 찍어 '가장'이라는 말을 붙이려니 마음이 안 내킨다.

지금까지 살아오면서 수많은 사람을 만나왔다. 그 가운데 괄목할 만한 인물들은 많았다. 특정인을 지목하여 내 인생에 '가장' 영향력 있는 인물이라고 이름 붙이기에는 왠지 과장 같아 꺼려진다.

책도 마찬가지이다. 글감이 신선해서 좋은 책이 있지만, 토론하기에 적합해서 좋은 책이 있다. 문장이 수려해서 푹 빠지는 책도 있다. 한 권의 책에 의해 내 인생의 터닝포인트를 경험한 책은 아직 없다. 적어도 가장 인상 깊었던 책이 되려면, 이 모든 조건을 충족해야 할 것 같고, 내 인생에 지대한 영향을 준 책이어야 할 것 같다.

한 사람의 인생이란 수천 겹의 물질들이 쌓여 만들어진 퇴적암과 같다고 생각한다. 사소하든 그렇지 않든 내가 겪은 일과 주위에서 일어난 일들의 집합체가 나의 인생이 된다. '최고' 혹은 '가장'이 아니어도 내 인생에 의미 있게 관여한 일들은 가득하다.

'가장'이라는 속뜻은 '최고'와 '유일'이라는 의미가 들어 있다. '가장'이라는 말이 들어가는 순간 이 정의에 부합하지 않는 무수한 예외들이 떠올랐다. 그러니 유일하면서 무이한 답을 요하는 질문들에 선뜻 대답할 수 없었다. 내가 못나서도 아니고, 우유부단해서도 아닌 오히려 신중함에서 나온 결과이지 않았을까.

요즘에는 '가장'이라는 말 대신 어떤 명사 앞에 '인생'이라는 단어를 넣어 많이 사용한다. 인생 사진을 건져서 SNS 올리거나 프로필로 활용한다. 인생책을 선정해서 좌우명으로 삼거나, 선택의 귀로에서 좌표로 이용하기도 한다. 왠지 유일하다는 의미를 지닌 '가장'보다는 켜켜이 쌓여서 만들어지는 우리네 인생을 빗대어 쓰는 말 같아 부담이 덜하다.

인생은 한탕 치기 로또도 아니고 일확천금을 노리는 슬롯머신도 아니다. 한 번의 기회로 인생을 변화시키는 일은 거의 없다. 어제 본 인생영화, 오늘 읽은 인생책, 그리고 내일 만날 어떤 사람이 내 인생에 미세하게 관여할 수도 있다고 생각하니 어느 것 하나 소중하지 않은 것이 없다. '가장'이라는 말을 붙여 물었을 때 대답 못했던 질문들에 대해 이제 나는 나의 인생책과 인생사람 그리고 인생영화로 바꾸어 부담 없이 이야기해 보려 한다.

나의 인생책_희망

늦었다고 생각할 때가 가장 이른 때라는 말은 나의 독서 시절인연에 걸맞은 말이다. 유년 시절부터 독서를 즐겼더라면 하는 아쉬움이 남지만 더 늦지 않은 점에 위안을 얻는다. 벽산 시골 마을 가난한 집에 살면서 그 흔한 동화책 한 권 볼 기회가 없었다. 자라면서 언니 오빠 덕에 책꽂이에 꽂혀 있는 세계문학 전집의 제목 정도 본 것이 고작이었다. 비록 문학소녀는 되지 못했고 되고자 하는 꿈도 꿔본 적 없지만 지적 허영심은 늘 내 안에 가득했다.

대학생 때부터는 도서관에서 자주 책을 빌렸다. 탐독하지는 않았지만, 빌리는 것으로 대리만족을 채워갔을 뿐이다. 아이들을 낳아 기르면서 동화책 중심으로 눈을 돌렸고, 이따금 육아, 교육에 대한 책으로 시야를 넓혔다. 그 덕에 큰아이는 독서로 키웠다 해도 과언이 아닐 정도로 책과 친밀했다. 뇌는 진짜와 가짜를 제대로 구분 못 한다더니, 어느새 나의 가짜 독서는 진짜로 책을 좋아하는 것으로 착각했다. 독서 모임을 기웃거리고 글쓰기에 대한 막연한 환상이, 뒤로 물러앉은 허영심 자리를 메우기 시작했다. 책을 꾸준히 빌려오거나 사 모으는 것이 독서의 첫걸음이라고 한 전문가들의 말은 일리가 있었다.

책 한 권의 신비한 경험은 책을 더욱 탐독하게 했다. <연금술사>는 어쩌자고 집 책꽂이에서 어느 날 돌연 발견된 것인지 여전히 미스터리로 남아있다. 부산 동보서적이라고 적힌 작은 스티커가 책 뒷면에 붙어 있었고, 책 속지에 친구의 짤막한 글귀와 함께 2007년이라는 날짜가 적혀있었다. 긴 시간 동안 여러 도시와 나라를 넘나들며 이사 다니는 동안에도 책은 줄기차게 나를 따라다닌 셈이다. 소유하고 있는지도 모를 이 책은 딸의 입시를 앞둔 2021년에 우연히 내게 발견되었다. 버려지는 목록에서 잘도 비켜났던 책은 자신의 존재를 드러내야 할 적절한 때에 빛을 발했다. 책을 다시 읽고 다음 구절을 노트에 꾹꾹 눌러 담았다.

"자아의 신화를 이루어 내는 것이야말로 이 세상 모든 사람에게 부과된 유일한 의무지. 자네가 무언가를 간절히 원할 때 온 우주는 자네의 소망이 실현되도록 도와준다네"

종교가 없음에도, 이 대목은 내게 신의 예언처럼 다가왔다. 딸의 입시를 앞두고 마음속 기도문이 되기도 했다. 간절히 원하는 것에 우주까지 나서서 우리의 소망을 중심으로 돈다고 생각하니 행동 하나에도 간절함이 묻어 나왔다. 밤 산책 길에서는 달님을 향해 두 손 모아 빌었다. 딸에게 '온~~ 우주가 너의 소망이 실현되도록 돕고 있어. 불안해하지 않 길… 노력해 온 대로만 하길…'이라며 용기를 북돋는 메시 지를 보내기도 했다.

책과의 우연한 조우는 서막에 불과했다. 입시 몇 개월을 앞두고 입시요강이 바뀌는 일은 유례에도 없던 일인데 그런 일이 우리에게 생겼다. 내신과 실기의 배점이 달라지지 않 았더라면 해당 학교에 원서조차 내 볼 수 없었을 것이다. 고 2 때는 실기하랴 내신관리하랴 힘들었던 영어 과목을 포기 하겠다던 딸을 잘 구슬려 포기하지 않게 도왔다. 만약 그때 포기했더라면 아무리 입시요강이 바뀐 들 지원해 볼 수 없 었을 것이다. 되돌아보니 책이 발각되던 때부터 입시요강과 그 외 소소한 일들까지 우주는 딸의 합격을 위해 온 힘을 집중시켜 왔던 것이다.

이런 경험이 있고 난 뒤 독서는 내게 더욱 소중해졌다. 심 지어 책 속에 길이 있고, 책이 인생의 나침반이라는 말들을 맹신하는 경지까지 이르렀다. 책을 읽고 나서 느끼는 희열 이나 뿌듯함은 시간과 노력 대비 가성비가 남다르다. 몇 푼의 책값과 몇 시간의 투자만으로 돈으로 환산할 수 없는 가치를 얻을 수 있다.

2021년에 또 다른 인생책을 만났다. 동네 아이들의 글쓰기를 지도하는 김소영 저자의 경험을 담은 책이다. 아이를 대하는 저자의 일거수일투족에 나는 읽는 내내 가슴 두근거리며 감동했다. 아이의 품위를 지켜줄 줄 아는 어른의 태도는 어떠해야 하는지 알게 해 주었다. 아이가 피우는 허세는 '그렇게 되고 싶고, 하고 싶다'(어린이라는 세계, 김소영)는 의미라는 대목에서는 저절로 고개가 끄덕여졌다. 못하는 게 아니라 오랜 시간이 걸린다는 걸 알고 기다려줄 줄 아는 어른, 아이가 자신의 인생을 논할 때도 함부로 웃지 않고 엄연한 인격체로 대할 줄 아는 어른, 직장 상사를 대할 때 대화의 선을 지키듯 어린이와의 대화에서도 선을 지킬 줄 아는 어른의 모습을 알게 되었다. 이런 어른으로 성장해야 한다고, 그러겠다고 선언하게 만든 책이다. 나아가 이 책은 내게 글을 쓰고 싶게 만든 첫번째 책이었다. 아이들 가까이에서 보고 느낀 점들을 글로 남겨야겠다며 어린이집 교사가 되었었다. 이 책은 내게 아이들의 시선으로 세상을 이해하도록 지침이 되어 주었다.

「책 한 권 때문에

어디론가 끌려간 친구를 알고 있다.

책 한 권 때문에

가벼운 인생이 무거워지고

책 한 권 때문에

어둠 속 눈동자에 불꽃이 튀고

책 한 권 때문에

돌아오지 못할 길로

걸어가 버린 친구를 알고 있다.」

라며 박노해 시인은 책이 위험하다고 역설적으로 노래했다.

책 한 권 덕에 할 수 있는 용기를 얻고

책 한 권 덕에 이로운 것들에 눈을 뜨고

책 한 권 덕에 가야 할 길이 또렷해지는

그런 경험을 잊지 않으며 나는 하루하루가 책 읽기의 연속이기를 희망한다.

나의 인생사람_나는 운이 좋은 사람이다

 "그대의 인생에 지대한 영향을 준 사람이 있나요?" 혹은 "당신의 롤모델은?"

 질문에 망설임 없이 대답할 수 있다면 당신은 운이 좋은 편이다. 이런 측면에서 나는 매우 운이 좋은 사람이다. 12년 전, 중국에서 몇 년을 살다가 다시 여수로 돌아갔을 때였다. 여수는 여전히 내게 타향이고 낯설었다. 한 뙈기의 내 삶을 누군가가 삽으로 몰래 파 가버린 느낌이었다. 남편은 또 아이들만 내게 남겨둔 채 서울로 근무지를 옮겼다. 잔디의 새 순이 텅 빈 자리를 메우는 시간만큼이나 지난했던 날들이었다. 자칫 깊은 구렁텅이로 빠질 것 같아 두려웠다. 힘겹게 몸을 추스르고 도서관 독서토론 프로그램에 등록했다.

 그곳에서 처음 명선 선생님을 만났다. 샘은 박식함을 기본 베이스로 돌직구와 유머 그리고 호방한 웃음을 소유한 분이었다. 돌직구는 돌이 날아오듯 급작스럽다는 부정적 표현에 자주 쓰이지만 샘의 돌직구는 빠른 판단력으로 적재적소에 응수하는 통쾌함을 지녔다. 뿌리 뽑을 수도, 이식할 수도 없는 타고난 유머는 가장 부러운 재능이었다. 여기에 호탕한 웃음까지 겸비한 선생님을 팔방미인이라고 칭하면 당신의 평생소원이 '미인'으로 살아보는 삶이었다며 또 한바탕 웃으셨다.

독서토론은 책에만 그친 것이 아니다. 봄이면 천연기념물이라는 선암사 홍매화를 찾아갔다. 구례 화엄사의 벚꽃 길을 드라이브 코스로 달렸다. 벌교의 조정래 문학관을 찾았고 태백산맥에서 쫀득쫀득 맛깔스레 그린 벌교 꼬막을 맛봤다. 볼만한 영화가 나오면 함께 보고 이야기를 나누었다. 금오도 비렁길을 거닐면서 동백꽃을 찾아 헤맸다. 여수 갯가 길을 몇 시간 동안 걸으며 수행 아닌 수행을 하기도 했다. 자연을 감상하고 몸으로 체험하는 것 또한 독서의 연장이었다. 책과 병행한 모임과 여행은 더욱 책에 애정을 가지게 해주었다. 선생님이 겸비한 자질들을 닮고 싶은 마음이었다. 그때부터 글과 독서에 대한 막연한 꿈을 가지게 되었다.

평생 책 읽고 글 수업을 하면서 살 것만 같았던 선생님은 어느 날 쇼핑몰에 입점하여 음식 가게를 개점했다. 지금은 사업체를 두 군데나 운영하면서 그야말로 카프카의 그레고리만큼 놀라운 변신을 했다. 책도 내셨다. 나이 칠순 언저리인 선생님은 사업체를 꾸려가면서도 독서와 글쓰기를 게을

리하지 않는다. 이번에 펴낸 책은 『하여튼 100명의 여자 이야기입니다』라는 수필집이다. 때로는 독서토론 수업할 때가 그립다고 하지만 많은 돈을 벌면서 글쓰기 본업에 충실한 걸 보면 큰 미련은 없어 보인다.

부끄럽지만 나는 그 100명 중 한 사람이다. 몇 년 전 우울해하는 시어머니를 위한 나만의 프로젝트에 관한 이야기였다. 선생님도 연세 들고, 며느리를 맞고 보니 쉽게 흘려듣지 않게 된 듯하다. 시아버지가 돌아가신 후 쉬이 아픔에서 헤어나지 못하는 어머니는 우울 증세를 보였다. 말벗이 되어 드리는 것도 한계가 있었다. 어머니 평생 살아온 이야기를 실컷 토해낼 수 있도록 기획했다. 아침에 전화 드려 오늘의 미션 문제를 건넸다. '아버님에 대한 첫인상', '아버님이 가장 미웠을 때', '어머니의 가장 찬란했던 시절', '가장 힘든 시기', '남은 생을 어떻게 살고 싶은가?'와 같은 질문들이었다. 저녁에 전화를 드려 하루 종일 생각한 오늘의 미션에 대한 이야기를 들어드렸다. 처음엔 부끄러워하시더니 곧 한 시간을 넘게 통화 하는 날이 잦아졌다. 긴 겨울을 나고 이듬해 봄, 어머니는 다시 활기를 되찾게 된 이야기였다.

책 속 100명의 여자는 선생님의 인생에 느낌표와 물음표를 달았다. 살아오면서 만났던 인연들을 간과해 버리지 않고 '필연적으로 만나야 할 그대들'이었다고 말했다. 많은 책과 영화, 사람이 퇴적암처럼 쌓여 내 인생이 만들어졌다는 나의 견해와 다르지 않았다. 선생님이 100명의 여자들을 기억해 내는 동안 당신은 누군가에게 롤모델이 되었다는 사실을 알고 계실까. 그때 함께 책 읽고 문학기행을 다녔던 사람 중에는 여전히 소모임을 이어가고 있는 이가 있다. 어떤 이는 5인 5색이라는 지역을 대표하는 서점을 열기도 했다. 책과 전혀 무관하던 나 역시 지금은 책과 관련한 일을 하고 있다. 한 사람의 영향력이 화선지 위 먹물처럼 번졌다.

기억하고 싶은 사람이 많은 삶은 얼마나 충만할까. 나 역시 누군가에게 좋은 사람으로 기억된다면 이 얼마나 뿌듯한 삶일까.

나의 인생영화_ 꿈을 갖기에 늦은 나이는 없다

나는 잔잔한 감동이 있는 영화를 좋아한다. 현실에서도 충분히 일어날법한 이야기를 좋아한다. 부조리한 세상과 타협하기보다는 맞서려는 주인공의 의지와 신념을 좋아한다. 모두가 '의미 없다고' 뒤돌아서고 '불가능하다고' 입 모아 얘기할 때도 꿋꿋하게 나아가는 주인공의 뚝심을 좋아한다. <미시즈 헤리스 파리에 가다>가 그런 영화이다.

헤리스는 영국 서민층의 가난한 중년 부인이다. 남의 집 청소하는 일을 하면서 정직하고 품위 있게 살아간다. 착하기만 하고 삶을 운에만 맡기고 살던 헤리스는 남편의 전사 소식을 듣게 된다. 이후 그녀는 자신의 삶을 스스로 개척하는 길을 선택한다. 그녀의 꿈은 좀 이상하다. 일한 대가를 떼먹는 악덕 고객의 집에서 그녀는 크리스찬 디올의 드레스를 보고 한눈에 반한다. 크리스챤 디올의 드레스를 입고 재향군인회 무도장에서 멋지게 춤을 추는 것이 그녀의 꿈이다. 드레스가 결코 물질적 허영심으로 비치지는 않는다. 소박하지는 않지만 간절한 주인공의 마음을 잘 나타내고 있다. 꿈이라고 하면 흔히들 무엇이 되어야만 하고, 대단한 일을 해

내야만 한다고 생각한다. 그녀는 자신이 맡은 일에 성실하고 진심 어린 태도로 사람을 대한다. 타인에게 선한 영향력을 끼친다.

'중년'은 꿈을 새로 가지기보다는 삶을 차분하게 정리하는 시기라고 생각하기 쉽다. 살아온 날보다 살아갈 날이 더 많이 남았을 수도 있다고 가정하면 이 얼마나 어리석은 생각인가. 영화는 꿈을 갖기에 나이는 중요하지 않다는 메시지를 가진다. 동시에 꿈은 거창해야 한다는 고정관념을 흔든다.

아들이 어릴 때 내게 던진 "엄마는 꿈이 뭐예요?"라는 질문은 살아오는 내내 나를 깨어있게 했다. 작은 파문과 같았던 아이의 물음이 내게 꿈에 대해 끈을 놓지 않게 했다. 이미 어른이 된 나는 꿈꿀 수 있는 존재란 걸 몰랐었다. 꿈이란 반드시 뭔가가 되어야 하는 것인 줄 알았었다. 즐기는 것도 꿈일 수 있고, 행동하는 것도 꿈이 된다는 걸 몰랐었다. 독서토론을 함께 하는 60대 문우도 얼마 전 자녀에게서 같은 질문을 받았다고 했다. 자신들의 엄마로만 존재해 온 엄마의 인생을 들여다보게 된 것이다. 엄마에게는 어떤 꿈이 있었는지 궁금해하고 지금부터 열렬하게 응원하겠다는 자녀들에게 고맙다고 했다.

주인공 헤리스는 가치 있는 일과 행복을 외부에서 찾지 않았다. 그녀는 꿈은 한 번에 이루는 것이 아니라 하나하나 이루어 가는 것임을 보여주었다. 설령 꿈이 이루어지지 않더라도 과정 자체에서 행복을 찾는다면 그것으로 족하다. 꿈은 마음껏 꿀 수 있는 것이고 꿈을 갖기에 늦은 나이는 결코 없다는 것을 알게 해 준 영화이다.

제3화

헬로하이디가 사는 법

헬로하이디

내 이름은 꽃뚜기

공부가 하고 싶었다. 영어 교육을 본업으로 삼은 지 27년 차, 포맷이 필요했다. 우연히 '분노 조절 인성 지도사'라는 민간 자격증에 관한 기사를 읽게 되었다. 순간 머리에 땅한 느낌과 함께 가슴은 마구 뛰었다. 바로 등록 완료!

초등학교, 중학교 방과 후 수업, 어학원 강의를 진행하면서 개구쟁이 아이들의 집중 안 하고 장난치는 모습에 즉각 목소리를 높이고 거칠게 나무라기 일쑤였다. 혼내고 난 후엔 여지없이 내 마음이 더 괴로웠다. '나부터 분노를 조절해야겠구나! 그래야 아이들이 행복지수가 높은 교육자의 가르침을 받을 수 있겠구나!' 하는 생각이 간절했다.

1주일에 두 번 이른 아침 용산에서 일산까지 달려가 교육을 받았다. 각자 원하는 뚜기 이름을 정해보라고 했다. 뚜기란 함경남도 방언으로 '어리숙하고 바보스러운 사람'이라는 뜻이다. 험난한 경쟁 교육으로 사람다움을 잃어가는 세상에서 '부족하지만, 혜안을 가지고 미래를 묵묵히 준비하는 사람'이라는 의미의 뚜기 이름을 붙여 부르고 있었다.

'무슨 뚜기가 내겐 어울릴까? 밥 잘 먹으니까 밥 뚜기?

책 좋아하니까 책 뚜기?' 내 이름의 한자 풀이는 붉고 부드러운 꽃 뿌리이다. 한 송이 꽃이 되어 세상을 밝고 맑고 훈훈하게 살아가고 싶다는 원대한 꿈이 있었다. 그 꿈을 담은 또 하나의 이름 '꽃뚜기'가 탄생했다.

'꽃뚜기'라는 이름으로 지내오던 어느 날, 유레카를 외치며 떠오른 발상 하나가 있었다. '분노가 날 때 치솟는 불같은 '화'를 부드럽고 고운 향기를 주는 꽃 '화'로 바꾸는 심정으로 살아가면 좋겠구나! 향기라는 기체는 좁게 닫힌 불통의 사람 마음 구멍으로도 쉽게 들어갈 수 있지 않은가!

가족과의 관계부터 시작했다. 당시 회사 중역의 위치에서 스트레스가 많았던 남편, 학업의 성과를 내고자 고군분투하던 사춘기 아들, 딸의 마음을 읽고, 모든 문제의 핵심을 남이 아닌 나에게서 찾아갔다.

교육을 주관한 인성 소통협회는 '견, 학, 습, 통, 성'이라는 과정으로 화가 난 상황을 객관화하여 화 일기를 쓰도록 했다.

견: 화를 바라보고,

학: 화를 탐구하고,

습: 화를 알아차리고,

통: 화에서 동심을 찾아보고,

성: 스스로 부족한 부분을 찾아 다짐하는 과정

이 포뮬러로 생활 속에서 벌어진 타인과의 불편한 상황을 자세히 적어 분석하기를 꾸준히 하다 보면 마음에 근력을 쌓을 수 있다는 게 교육의 주된 목표였다.

지나간 화, 현재 겪고 있는 화를 기억해 내고 인지해가며 1년 동안 교육을 열심히 받았다. 그 결과 가장 수혜를 입은 사람은 바로 남편이었다. 남편과 대화할 때 가르치려 드는 선생님 말투부터 바꿔나갔기 때문이다. 이해가 잘 안되어 화가 올라오는 상황에서는 일단 말을 멈춘 뒤 "그러고 싶은 가 보다."하고 생각하는 훈련을 해나갔다. 남편을 비롯한 가족, 지인, 학생, 학부모 등 타인이 불시에 나를 향해 버린 화라는 감정 쓰레기를 덜컥 받아 같이 열 받아 하지 않도록 노력했다. 대부분은 화를 낸 사람의 문제이지 내 문제가 아니었다. '어떻게 그럴 수가'라는 판단 저울을 버리고 '그럴 수도 있겠지'라는 소화제를 복용하면 속이 더 편해졌다.

이렇게 마음을 들여다보고 관찰해 가다 보니 내가 얼마나 부족한 사람인지를 알게 되었다. 인정하고 받아들이는 단계는 오히려 쉬웠다. 정작 일상 속 불편한 마음을 제대로 분석하여 온전히 소화 흡수시켜 체득해 나가는 과정은 말처럼 간단한 일이 아니었다. 많은 에너지가 소진되었다. 기대하고 실망하고 반성하고를 반복해 나갔다.

분노란 다가올 땐 예고도 없이 훅 들어온다. 그 불청객과의 불편한 동거를 오랫동안 지속하다 보면 분노와 나는 서로 잘 지내려는 타협을 시작한다. 타협이 끝난 후에도 뒤 끝 작렬한 분노가 남긴 찌꺼기들이 내 혈관의 점도를 높이지 않도록 살펴야 했다.

겉으로는 화를 다룬 것처럼 보일지라도 내면에 숨어 있는 화까지 소탕시키는 일은 불가능에 가깝다. 대의를 위해 참자고 마음먹고 살아갈 뿐이다. 죽는 순간까지 존재할 화라는 감정을 피할 순 없다. 성능 좋은 마음 리모컨 하나 챙겨 채널 돌려가며 인생극을 모니터링해야겠다.

고맙게도 아이들에게 냈던 작은 화부터 격하게 뚜껑이 열려 내 뚜껑 어디로 날아갔나 찾을 길 없던 젊은 날의 불같이 타오르던 화도 내 호르몬과 함께 바닥이 난 듯 고요하다.

내 이름 꽃뚜기를 듣고 어떤 이는 "뭐 꼴뚜기라고?" 하며 장난을 친다. 꼴뚜기라도 좋다. 맛만 좋으면 된다!

어르니와 어린이 사이

면접관이 내게 물었다.

"어린이 교육을 오랫동안 해오셨는데 어떻게 어른들을 위한 교육을 하실 건가요?"

한 치의 망설임도 없이 답했다.

"나이가 들면 모두 어린아이가 된다는 말이 있잖아요? 어른 어린이인 어르니 분들과 즐거운 프로그램을 진행하며 정성을 다해 보살펴드릴 계획입니다."

사실, 나는 사회복지사 자격을 얻자마자 바로 노인 관련 일을 하고 싶지는 않았다. 시어머님을 9년 동안 모셨고 9년의 긴 요양원 생활을 지켜본 직후라 노인에 대한 생각은 잠시 쉬고 싶었다고나 할까?

결국 생각과는 달리 2016년부터 7년 동안 대한노인회 소속 경로당 복지파트너라는 직함으로 아이들 영어 교육과 겸직했다. 오전에는 어르니, 오후에는 어린이와 함께하면서 어쩌면 대척점 선상에 있는 두 대상을 동시에 지도하는 일은 나에게 있어 적지 않은 품이 들었던 건 사실이다.

노인들의 모습에도 격차는 존재했다. 평균 연령이 85세가 넘는 곳의 어른들은 주로 누워서 생활하셨다. 어깨를 주물러드리며 말벗 프로그램을 진행했다. 주물러드린 지 1분도 지나지 않아 "아이고 이런 호강을 어디서 받아. 자식들도 안 해주는 안마를 다 해주고. 그만 해요. 팔 아파요." 하신다.

반면, 구성원 대부분이 대학 교육을 받으신 경로당의 경우는 등장부터 분위기가 사뭇 달랐다. 허리를 곧게 펴고 선글라스에 알록달록 스카프를 휘날리며 비비언 리는 저리 가라 모델 포스로 나타나셨다. 영화 감상 후 스크린 영어 배우기 수업을 6년 동안 진행했다. 추억의 고전 로맨스 영화는 물론 3시간이 훌쩍 넘는 인도 영화를 감상하면서 화장실 한번 안 가는 집중력을 보여주었다.

아이들과 수업 시간에 했던 뽕망치 게임, 컵 쌓기, 토끼와 거북이 가면 놀이, 카드 게임, 풍선 놀이, 가위바위보 게임, 기억력 게임, 빙고 게임 등을 어른들 수업에도 가져와 사용했다. 티격태격 다투다가도 사탕 하나에 아이처럼 방긋방긋 웃었다.

수업이 끝나고 "선생님, 늙은이들 즐겁게 해주느라 수고가 많았어요." 라며 요구르트를 내미신다. 어르신의 거친 손등 위에 난 주름 지도 구석구석엔 고된 삶과 배려로 짙게

채색되어 있었다.

잠시 가족 어르니인 시어머니와 아이들을 키우고 살면서 겪었던 기억 하나를 소환해 보고 싶다.

시어머니는 내가 아이들을 혼내고 있을 때면 항상 하는 말씀이 있었다.

"괜찮다. 이제 다 된다."

'도대체 뭐가 된다는 말씀인 거야? 이것도 잘 못 했고 저것도 고쳐줘야 할 점인데 말이야.'

시어머니가 돌아가시고 아이들이 성장하면서 알았다. 몰라서 갸우뚱하는 아이의 눈동자가 얼마나 맑았고, 깨쳐서 인자하신 어머니의 포용이 얼마나 따뜻했는지를.

어르니와 어린이는 무엇이 다르고 얼마나 비슷한 거냐고 누군가 물어온다면 어떻게 답해야 할까? 인생 주머니 속 경험들이 포화 상태로 터져 나와 하나둘 사라져도 모르는 아이가 된 어르니, 선 밖 세상이 궁금해 들락날락 깨금발로 촐싹대다 넘어져 울고 찌는 어린이!

'분명 그들은 innocent (무죄의, 순수한)하다.'

우울한 어르니와 철없는 어린이를 그동안 나는 어떻게 대하며 견뎌왔던가? 어깨를 토닥토닥 주물러 어르고, 겨드랑이를 간질간질 장난치며 기를 주고, 기를 받았다.

오래 써서 빠진 어르니의 앞니와 오래 쓰기 위해 빠진 어린이의 유치 사이를 오가는 생쥐 하이디의 탭댄스 인생곡은 폴짝폴짝 4분의 4박자! 나도 늙어 간다. 어르니처럼. 철들지 않으련다. 어린이처럼!

내 사랑 영순 씨

내 이름은 영연이. 내 손 위 시누이는 영순이. 이름만 보면 우리는 자매 같다. 법적으로는 자매 맞다. 영어로 'sister-in-law'니까.

시어머니가 살아계셨을 적 시누이 다섯은 인생 구력이 짧았던 내겐 조금은 부담스러웠다. 아니 내 고향 전주 사투리로 말하자면 "솔찬히 힘에 부쳐부렀다"

시어머니가 돌아가신 지도 올해로 벌써 10년이 지났다. 매년 모든 식구가 명절이나 어머니 생신에 얼굴들을 보며 지냈다. 어머니가 돌아가시자 다 모이는 건 1년에 한두 번이 고작이었다. 하지만 우리 가족은 추석이나 설날이면 서울에 사는 셋째 시누이 그러니까 영순 씨 집에 가곤 했다. 요리 박사인 형님은 늘 상다리가 부러지게 장만을 해놓고 우리를 기다렸다. 온갖 산해진미를 배가 터지게 먹여주는 것도 모자라 양손 가득 음식을 챙겨주었다.

2주에 한 번 갖가지 김치를 비롯한 반찬들을 해놓고 가져가라고 연락이 왔다. 형님도 시어머니를 20년 넘게 모셨다. 어른을 모시고 제사를 지내고 살던 우리의 공통점 때문이었을까? 웬만한 일들은 문제될 게 없이 쿨하게 넘어갔다. 아낌없이 음식을 챙겨주는 형님에게 "재료비는 제대로 주고 먹어야지!" 하며 직접 주면 안 받으니 서랍 속에 몰래 돈을 넣어놓고 오곤 했다.

그러던 어느 날 시누이 남편이 갑자기 돌아가셨다. 그때부터 나는 형님 집에 가서 자고 오기 일쑤였고 국내외 여행도 함께 다녔다. 사우나를 즐기는 우리는 일본으로 온천 여행을 다녀온 적이 있다. 탕 안에 들어가 "샴푸가 어디 있지?" 어리둥절하던 내게 바로 스캔이 끝난 형님은 바닥 구석에 놓인 비누와 샴푸를 가리키며 "저기 있잖아"하신다. 뭐든 빠르다. 뇌 품질이 좋은 게 분명하다. 머리숱도 나보다 10배는 많아 뒤에서 보면 60세도 안 돼 보인다. 연예계 정보는 샅샅이 다 꿰고 있다. 온갖 이름도 척척 맞추고 음식 만들고 집안 치우는 데 지칠 줄 모른다.

철의 여인 같은 형님과 떠나는 여행은 늘 든든한 마음이 들었다. 뭐든 말만 하면 뚝딱하고 나오기 때문이다. 손목이 아프다면 파스가, 머리가 띵하다면 진통제가 바로 나온다. 심지어 통화 중에 목감기가 들었다고 했더니 말하자마자 하는 말 "그럴 줄 알고 내가 생강 1킬로그램 사다 갈아서 차를 만들어놨어요. 어르신. 누가 누굴 모시는지 몰라." 정말 형님에게 나는 손길 많이 가는 안 젊은 젊은이다. 아니, 우리 형님이 늙지 않은 젊은 노인이다.

사람마다 살아온 경험치가 다르다. 거쳐온 환경 그리고 학습된 이성적 판단 기준도 차이가 크다. 달라서 서로의 거울이 되어 줄 수 있다. 우리는 시누이, 올케라는 완장은 떼고 서로에게 무엇이 필요한지에 집중하니 비정상적 정상 관계가 이루어졌다. 형님도 나도 인생 힘 빼고 살아도 충분하다는 걸 알게 된 시기에 서로에게 선물 같은 존재가 되었다.

유쾌한 부채를 든 소리꾼 영순 씨와 북을 치며 장단을 맞추는 고수인 나 영연이의 판소리 한마당이 사방에 울려 퍼진다.

"인생 뭐 있냐. 사서 입고 좋은 거 먹고 살다 가는 거지 그지 않냐?"

"맞아 맞아. 얼쑤"

"우리가 술을 먹냐, 명품을 사 재끼냐? 그지 않냐?"

"맞아 맞아. 얼쑤"

아무리 맞장구를 쳐도 지나치지 않는 찰떡궁합이다. 환상적 콤비가 이대로 가면 영화 '델마와 루이스'처럼 오픈카를 타고 자유를 격하게 누리며 멕시코를 향해 거침없이 달려갈

날이 머지않으리라는 예감이 든다.

심지어 코 고는 것까지 배웠다. 형님은 소프라노 메인 보컬로 골고 나는 알토로 코러스를 넣는다. 우리의 멋진 하모니는 밤에도 쉬지 않고 이어진다.

때론 자매처럼 때론 친구처럼 지낸 지도 벌써 7년이 돼간다. 뭐든 빠르고 정확해야 하는 형님과 이상하게 형님 앞에서는 느긋하고 흐지부지한 내가 어떻게 케미를 맞춰 왔지? "누가 참은 거야 대체?" 원래 "빨리"를 외치는 사람이 더 답답하기 마련이다. 사람마다 성격 차이가 있고 우리의 경우 생각하고 움직이는 속도의 차이가 크다. 아니 사실 그 나이에 형님을 따라갈 사람은 거의 없다고 본다. 아무리 피곤해도 해야 할 일을 미루는 법이 없으니 말이다.

"너 진짜 빨리빨리 좀 해"

"그놈의 빨리빨리 좀 그만해. 좀 느리게 하면 뭔 일이 나?"

도리어 큰소리치는 나를 봐주고 챙겨주는 우리 형님 분명 천사다!

어딜 가나 시누이, 올케 사이라고 하면 다들 대놓고 놀란다. 15년이나 삶의 내공을 더 쌓으신 형님을 따라다니다 보니 속 좁고 투덜대던 내 몹쓸 버릇이 한 방에 해결된 느낌이다. 넉넉한 인생 시험을 속성으로 통과하게 도와준 고마운 형님. 역시 줄은 잘 서고 봐야 한다. 형님 덕분에 따뜻하고 활기찬 말년을 보낼 수 있어 이보다 더 좋을 수는 없다!

"영순 씨! 우리가 그 어려운 일을 해냈지 말입니다. 지난했던 기억은 날려버리고 지팡이 짚을 때까지 사우나 가고, 예쁜 옷 사 입고, 맛있는 거 사 먹고, 건강한 음식 해 먹으며 재미나게 살아요."

꿈 팬트리

꿈은 무엇이 되고자 희망하며 꾸는 꿈과 잘 때 꾸는 꿈이 있다. 잘 때 꾸는 꿈에 관한 이야기를 하려고 한다. 꿈의 사전적 의미는 수면 중의 심리 현상, 또는 수면 시 일련의 영상, 소리, 생각, 감정 등의 느낌을 말한다.

나는 꿈을 많이 꾸고 꾼 꿈을 대부분 기억한다. 꿈을 꾼지 몇십 년이 흘렀지만 영화 필름처럼 뇌리에 찍혀 또렷하게 남아있는 장면도 있다.

꿈속에서 표현된 메타포가 기묘하게 느껴져 아침에 일어나 내용을 되뇌며 글로 남겨 놓곤 했다. 꿈을 꾸었을 때 일어난 일이 우연히 현실에서 반복되는 예지몽도 있었고 어린 시절 이야기가 나오는 회상몽이 많았다.

잠재적으로 가진 생각이나 생활 속에서 겪은 일, 아니면 영화나 책에서 보았던 광경이 편집되어 나왔다. 희망하던 일이 이루어지고 그리운 대상이 시공을 초월해 나오는 꿈은 너무나 신기했다.

중학생 때 영어를 공부하다 잠이 들 때면 꿈속에서 외국

인과 영어로 대화할 때가 있었다. 문법에 맞는 문장을 구사하고자 노력하느라 애를 써야 했다. 이때 뇌 활동이 깨어 있을 때와 거의 유사하여 아주 생생하게 기억에 남는다. 이런 상태를 Rapid eye movement(REM) 렘수면이라고 한다. 이는 눈이 빠르게 움직이는 특징 때문에 이름 붙여졌고 이때 근육이 마비되어 꿈의 내용대로 뇌가 활성화되어도 몸이 움직이지 않을 수 있다고 한다. 그래서였을까? 집에 강도가 들어 살려달라고 계속 소리를 질러도 목소리가 나오지 않거나 아무리 도망가려 해도 발이 떨어지지 않는 꿈을 자주 꾸었다.

꿈을 의식과 무의식의 상호작용으로 본 지크문트 프로이트와 카를 융의 책을 읽고 친구들과 토론하기도 했다. 하지만 꿈 영화의 신비를 풀어줄 열쇠가 되지는 못했다.

꿈 장르의 스펙트럼은 아주 넓었다. 이가 우수수 빠지는 꿈, "날아라."를 외치며 하늘을 날다 신발이 벗겨져 땅으로 떨어지려는 꿈, 푸른 바다에서 유유히 헤엄치는 꿈, 눈부신 조명으로 빛나는 스타디움 위로 칠흑같이 어두운 하늘에서 눈이 펑펑 내리는 꿈, 알지도 보지도 못한 갖가지 요리를 먹는 꿈, 돌아가신 아버지가 장군복을 입은 채 크고 굵은 막대기를 짚고 하얀 쌀 무덤 옆에 서 있는 꿈 등 그리라면 그릴 수 있을 정도로 생생하다.

그중 가장 행복하게 만들어주었던 꿈으로는 허브 향 가득한 언덕 위에서 샌드보딩하듯 빠른 속도로 내려오며 꽃향기를 맡는 꿈이었다.

그런가 하면 햇살 가득 맑은 날 시냇가에 앉아 미국 영화배우 조지 클루니와 데이트를 하다 손을 잡으려는 순간, 학교 가라고 깨우는 엄마가 얼마나 원망스러웠던지 이어서 꿀 수만 있다면 다시 자고 싶었다.

아이를 가졌을 때의 태몽은 평상시 꾸는 꿈과는 확실히 달랐다. 따뜻한 겨울, 눈이 내리는 호숫가 한가운데 노란 국화꽃이 피어있는 꿈, 끝이 보이지 않을 만큼 긴 오솔길을 따라 먼지를 일으키며 백마를 타고 달리는 꿈, 맑은 물속에 통통하게 살이 찐 잉어 한 마리가 노닐다 뚜껑 없는 나무 상자 안으로 들어가는 꿈, 동전을 신나게 줍는 꿈, 모두 흑백인데 여자아이가 들고 오는 딸기 하나만 컬러인 꿈, 모두 내가 그려낸 다양한 꿈 영상들이다.

꿈들을 저장해놓은 내 안의 작은 방, 팬트리 하나가 있다. 그곳에 색색의 꿈들을 곱게 말려 두었다. 행복한 맛, 슬픈 맛, 황당하고 엽기적인 맛, 언제든 하나씩 꺼내 먹을 수 있는 꿈 말랭이들로 가득하다. 꿈을 말릴 때는 순풍으로 천천히 돌아가는 실링팬을 사용한다. 그 팬에 이름도 붙여주었다. 이름하여 '긍정 팬'! 돌아갈 때마다 "긍정", "긍정" 소리도 나게 해 볼까?

꿈을 꾸고 잘 저장해두어 맛있게 그 꿈을 먹으며 나는 성장해가려나? 긍정으로 코팅된 꿈이 있는 삶을 향해 나는 오늘도 열심히 꿈을 꾼다.

제**4**화

꾸준하게 실패하고,

꾸준하게 성장합니다

일과삶

성실이라는 재능

5년 전 생애 첫 글쓰기 수업을 진행했는데요. 평범한 직장인이 어떻게 글쓰기 수업을 하게 되었는지 이야기해 보려해요. 당시 30주 동안 온라인 글쓰기 수업에 참여하면서 강의 기회를 가지게 되었는데요. 비슷한 수준의 사람이 있는데 그중에 왜 제가 선택되었는지 궁금했습니다. 사실 제가그렇게 글쓰기에 재능이 있지는 않거든요. 그래서 스승님께다시 여쭈었습니다.

"왜 하고많은 학생 중에 저에게 글쓰기 수업을 맡으라고했나요?"

"아무래도 과제도 제일 먼저 내고, 항상 성실하게 수업에임했으니 적임자죠."

그렇습니다. 10주 과정 글쓰기 모임에 3번에 걸쳐 참여하면서 마감을 넘어 과제를 제출하거나 결석한 적이 한 번도없었거든요. 아마 저밖에 없을 것입니다. 참여도 100%, 과제 제출 100%, 그리고 늘 과제 제출 순위 1위였으니까요.제 성격 때문이긴 한데 결과론적으로는 그랬어요. 재능이아니라 성실함 때문이었다니 조금 실망스러웠으나 그래도 성실하길 다행이다 싶었어요. 그나마 성실하지 않았으면 얻지 못할 기회니까요.

불현듯 인생을 살면서 성실함 득을 크게 봤다는 생각이 들었어요. 예전에 영어를 아주 완벽하게 구사하지 않았는데 전화 영어 강사로 1년 일했습니다. 그것도 업계 1위 전화 영어 회사였어요. 학생으로 참여하다 선생님으로 발탁되었으니 글쓰기 강사가 된 경로와 동일합니다. 전화 영어 강사 제안을 받았을 때 놀랐어요.

"제 영어 실력이 강사를 할 만큼은 아닌데 왜 선생님을 하라고 제안하셨나요?"

"전화 영어 수업에 가장 중요한 역량은 영어 실력보다는 결강하지 않고 제시간에 학생에게 전화하는 것입니다. 일과 삶님은 한 번도 수업에 빠지지 않았고, 항상 수업을 준비하고 임하셨으니 강사로서 충분한 자질이 있습니다."

신기하죠? 뭔가 실력이 우선되어야 할 것 같은데, 실력보다 성실함을 더 인정해 주는 느낌이었습니다. 전 이런 기회를 얻어걸렸다고 생각해요. 다른 사람은 꾸준히 무언가를 하는 게 어렵다고 하지만, 성실함과 꾸준함은 들이는 노력에 비해 상대적으로 크게 인정받고, 그 결과도 좋은 것 같아요. 비결 아닌 비결이라면 다른 사람들보다 한 스텝 먼저 나가는 게 아닐까 싶어요. 과제가 있으면 미리 준비해서 제출하면 되고, 다른 약속보다 수업을 더 소중하게 생각해서 수업에 우선순위를 두면 되는 일입니다. 그런 사소한 준비 과정이 다른 사람에게는 성실함으로 보이는 것 같아요.

보통 재능은 타고난다고 생각하죠. 음악이나 미술처럼 예술가적 감성이 있어야 그 분야의 전문가가 된다고 생각합니다. 동의합니다. 탁월하려면 재능이 필요합니다. 아무리 노력해도 타고난 재능을 뛰어넘기는 쉽지 않겠죠. 성실함도 재능이 될 수 있다고 생각해요. 우리가 생각하는 재능이 선천적이라면 성실함은 후천적으로 개발 가능한 재능이죠. 탁월한 상위 1%는 되지 못하더라도 본인이 즐기는 수준까지 가도록 도와주는 재능입니다. 내가 특별히 잘하는 게 없어서, 선천적인 재능이 없어서 아무것도 할 수 없다면 성실함이라는 후천적인 재능을 키워보면 어떨까요?

영어와 글쓰기는 관련이 없는 듯하면서 서로 연결됩니다. 꾸준하게 연습하지 않으면 실력이 늘지 않아요. 포기하면 현상 유지는커녕 더 실력이 떨어집니다. 졸꾸정신으로 할 수밖에 없어요. 하지만 즐기지 않으면 지속하기 힘듭니다. 어쩌면 제가 영어 공부를 열심히 하는 훈련이 되어서 글쓰기도 꾸준히 하는 게 아닐까요?

만일 선천적인 재능으로 승부한다면 전 실력 부족으로 둘다 탈락입니다. 그래서 더욱 감사합니다. 선생님 역할을 사랑하는 이유는 다른 사람을 가르칠 때 제가 더 성장하기 때문입니다. 영어를 더 잘하고 싶어서 전화 영어 강사를 했고, 글을 더 잘 쓰고 싶어서 글쓰기 강사가 되었어요. 선천적인 재능은 부족하지만 성실함과 꾸준함이라는 후천적인 재능으로 얻어걸린 행운에 감사할 따름입니다.

여러분은 어떤 재능을 가지고 계신가요? 저처럼 자기만의 재능을 만들어보면 어떨까요?

꾸준함은 정말 좋은 습관일까요?

꾸준함이 마치 미덕이거나 정답인 것처럼 사람들은 추앙합니다. 내세울 게 꾸준함 밖에 없는 저에게 칭찬하고 때로는 존경한다는 말까지 하시는 분이 계십니다. 하지만, 꾸준함이 정말 좋은 습관인지, 꾸준하게 뭔가를 하다 보면 좋은 일이 과연 생기는 건지, 저는 잘 모르겠습니다.

2019년 3월에 시작한 '나를 찾아가는 글쓰기'는 5년이나 되었네요. 그동안 계속 업그레이드를 하고 최적화를 했지만, 참신하지는 않나 봅니다. 처음 4명으로 시작한 모임은 2022년 7월 11기에 11명이라는 기록적인 숫자를 갱신하고는 이후 5명을 겨우 채우다 2, 3명으로 명맥을 유지했습니다. 지난 14기에 3명이었고 이번 15기 모집에 3명이 되었다가 한 분이 취소하는 바람에 결국 2명만 남게 되었어요. 분명 시그널이 왔는데 계속 망설였습니다. 결국 제 의지와 무관하게 '나를 찾아가는 글쓰기'를 중단하기에 이르렀습니다. 작년에 《나를 찾아가는 글쓰기》 책까지 내고 수업 안내 QR코드까지 넣었는데 대략난감입니다만.

끝을 보길 좋아하다 보니 의도적으로 멈추는 것에 반감이 있습니다. 혹시나 하고 기대했다가 역시나 하고 실망하면서도 새로운 희망을 품고 무의식적으로 수레바퀴를 굴립니다. 현실적이고 비판적인 사고가 필요한데 긍정적인 마음이 오히려 방해됩니다. 성탄절에는 집에 갈 수 있을 것이라는 막연한 희망을 품은 사람이 오히려 용기를 잃고 절망감에 사망했다는 《죽음의 수용소에서》의 수감자처럼 말입니다. 다행히 최근 모임을 정비해서 '나를 찾아가는 글쓰기'를 다시 이어가게 되었습니다.

2020년 7월에 시작한, 연 단위로 모집하는 '매일 독서 습관 쌓기'는 새해가 되면서 분위기가 무척 좋습니다. 저 포함 26분의 회원이 함께 책을 읽고 인증하는데요. 거의 매일 서너 분이 완독하고 현재까지 23분이 1권 이상, 총 578권을 완독했습니다. 저처럼 하루에 여러 책을 동시에 읽는 분도 계시니 반갑고, 완독하면 서로 축하하니 신나고, 다른 분이 읽는 책을 보고 따라 읽으니 든든합니다.

초반에 회원이 적어 약간의 위기도 있긴 했지만 2020년 4월에 시작해 월 단위로는 회원을 모집하는, 4주 동안 주 1회 글쓰기 모임인 '내 글에서 빛이 나요!'는 52기를 모집하는 중입니다. 1년 장기 회원도 제법 있고, 한 번 참여한 분은 꾸준히 참여해서 장기 회원으로 연결됩니다. 물론 멈추는 분도 계시지만요. 1기로 참여했다 중간에 멈추고 이번에 다신 오신 회원분은 내글빛 모임이 없어졌을지도 모른다고 생각했는데 여전히 지속되어 놀랐다고 합니다. 그런 말씀을 들으면 또 꾸준함에 보람을 느낍니다.

감사하게도 1년 넘게 참여한 회원 한 분이 오프모임을 위한 장소와 다과를 제공한다고 해서 47기에서는 내글빛 최초 오프모임을 하기로 했습니다. 나찾글 수업을 끝내고 오프모임을 하기도 했지만 합평이 아닌 댓글로 응원하는 글쓰기 모임에서 오프라인 모임이라니 놀랍죠.

2021년 3월부터 매주 토요일마다 보내는 '일과삶의 주간 성찰' 뉴스레터도 여전히 혹시나 하는 기대의 연장선입니다. 작년 말에 발행한 '2023년 인생 책 20권을 소개합니다' 글 조회수가 티핑포인트가 될 조짐이 있습니다. 평소 일주일에 한 명 정도 뉴스레터 구독자가 늘었는데 이 글로 구독한 사람이 30명이나 되더군요. 하루에 1~2명씩 구독한 셈이죠. 역시나 이러다 말겠지만. 그래도 희망을 품어봅니다.

이 글을 쓰며 혹시나 하는 기대를 안고 2020년부터 시작한 코칭을 정리해 봤는데요. 한국코치협회 인증 코치 (Korea Associate Coach, KAC)의 자격 취득을 위한 연습 코칭이 아닌, 프로페셔널 코칭을 23명에게 61회나 제공했더군요. 대부분 글쓰기 코칭이지만, 시간 관리를 포함한 생산성 향상 코칭이 4회, 커리어 코칭이 2회였습니다. 글쓰기 관련해서는 첨삭, 일반 글쓰기, SNS 글쓰기, 브런치 작가되기, 서평 글쓰기, 자서전 쓰기 등 다양하게 진행했습니다. 코칭을 이렇게나 많이 한 줄 몰랐네요. 아직 저에게 코칭 받지 않으신 분께 자신 있게 권합니다. 어떤 방향으로든 제가 도움을 드릴 수 있지 않을까 싶네요.

꾸준하게 해서 뭔가 조금이라도 결과가 나온 것만 말씀드렸는데요. 인스타그램, 유튜브, 독립출판 등은 아직도 혹시나 하고 기대했다가 역시나 하는 실망을 반복하면서도 새로운 희망을 품고 무의식적으로 굴리는 수레바퀴들입니다. 어디까지 가야 할지 사실 잘 모르겠습니다. 때로는 글쓰기도 그렇습니다. 수많은 시간을 투자해 쓰고, 다듬지만, 역시나 큰 변화는 없습니다. 그냥 씁니다. 과정이 즐거워 씁니다. 과정마저도 즐겁지 않으면 할 수 없는 일입니다.

꾸준함이 정말 좋은 습관일까요? 꾸준함에 꾸준함에 더해서, 꾸준하게 실패하고, 꾸준하게 성장합니다.

생각이 많은 루틴 전문가가 즐기는 취미

다들 바쁘시죠? 직장에서 동료를 만나도 하는 인사가 "요즘 많이 바쁘시죠?"입니다. 이 질문에 아무도 "아니오, 바쁘지 않아요. 요즘 한가해요."라고 말하는 분은 없습니다. 과거에 비해, 문명의 이기가 많이 생겨났는데도 더 바쁩니다. 그 바쁨 중에 스마트폰이 힘을 발휘합니다. 아무리 바빠도 인스타 피드를 살피고, 유튜브 쇼츠는 보니까요.

저도 무척 바쁜 사람입니다. 기본적으로 직장에 매인 몸이라 오전 9시 이전과 저녁 6시 이후에만 자유로우니까요. 수면이 우리 삶에 아주 중요하다고 해서 매일 7시간 꼭 자려고 노력합니다. 직장에서 보내는 시간 9시간과 수면에 투자하는 7시간을 빼면 하루 최대 8시간만 남는데요. 밥 먹고, 이동하고, 집안일 등으로 보내는 시간을 빼면 많아야 자유시간이 4~5시간 정도입니다. 그래서 주말에 다들 여가 활동을 하는 거겠죠.

이 소중한 평일의 자유시간 중 반은 가장 좋아하는 취미인 독서와 글쓰기가 기세등등하게 차지합니다. 시간이 부족하다 보니 최소한의 독서만 하는데요. 원서 15분, 종이책 15

분 총 30분 정도 매일 독서하려고 노력하고, 나머지는 자투리 시간에 오디오북을 듣는 것으로 대리만족합니다. 글은 마감을 정해두고 짬짬이 생각날 때 쓰거나 다듬는데요. 솔직히 글 쓸 때 도파민이 가장 많이 나옵니다. 짝사랑하는 사람을 마주치면 가슴이 쿵쾅대듯 설레며 글을 쓰지요. 좀 졸려도 글 쓰면 잠이 달아나니까요. 독서와 글쓰기는 이미 5년 이상 된 루틴입니다.

이 치열한 루틴의 틈을 비집고 들어온 새로운 취미가 헬스입니다. 헬스를 시작한 지 1년 반이 되어가는데요. 평일 저녁 특별한 약속이 없으면, 아니 평일 저녁 약속을 피해, 퇴근 후 바로 헬스장으로 갑니다. 연간 멤버십을 등록하고 초반에 열심히 다니다 멈추는 분들이 제법 있는데요. 몰랐던 재능처럼 헬스는 저에게 딱 맞는 운동이었습니다.

엄청나게 과격한 근육운동은 아니고 가볍게 러닝머신으로 워밍업하고, 스트레칭하고, 다리 근육운동 잠시 한 후, 유산소 운동으로 마무리하는데요. 이렇게 하는 데만 1시간 40분이 걸리고 샤워까지 하면 2시간 이상 걸립니다. 자유시간의 반을 아낌없이 바칩니다. 1시간 40분 동안 몸은 루틴을 따르고 머리는 하루를 성찰합니다. 주로 일 생각을 90% 하는 것 같아요. 일의 연장선이라 야근수당을 받아야 할까 봐요.

온전히 생각하는 시간이 좋아요. 저는 생각이 많은 버크만의 파란색 인간이라 힐링이 됩니다. 생각할 생각하면 역시 가슴이 뛰고 도파민이 나옵니다. 그러니 헬스가 적성에 맞아요. 꾸준함이 재능이니 좋아하고 잘하는 조합의 취미입니다.

최근 비움을 실천하는 취미가 생겼습니다. 몰입의 즐거움을 느끼는 레고 조립입니다. 한 달도 안 된 초보인데요. 초록이를 좋아하는 저에게 다육식물 보태니컬 컬렉션이 선물처럼 다가왔습니다. 총 9개의 화분인데 생각보다 어렵지 않고, 만드는 동안 딴생각을 하지 않게 되더군요. 완전한 비움의 시간이었습니다. 늘 생각으로 가득한 제 머릿속을 청소했어요. 몰입의 시간을 보내고 나면 아기자기한 결과물까지 나오니 이 또한 제 적성에 맞는 취미네요.

아이들이 어릴 때 레고가 비싸 옥스퍼드를 사줬는데요. 그때만 해도 흥미가 없었고요. 덴마크 갔을 때도 사람들이 레고 샵에 많이 갔는데 시간도 없고 관심도 없어 가지 않았어요. 아이들과 말레이시아에 놀러 갔을 때도 레고랜드는 어린이들이 가는 테마파크라고 거들떠보지 않던 제가 급기야 레고랜드 코리아까지 다녀왔습니다. 사실 레고는 키덜트의

럭셔리한 취미라 아주 조금씩 아껴 즐기는 중입니다. 야금야금 저에게 상 주듯 즐기는 취미입니다.

산책과 등산 역시 소중한 취미입니다. 혼자 산책이나 등산하며 오디오북을 듣는 시간이 가장 소중한 힐링 타임이고요, 여러 친구와 수다 떨며 힘들게 산에 오르는 것 또한 좋아합니다. 자연이 우리에게 주는 위로는 언제나 정답입니다. 멀리 떠나지 않아도 잘 가꾸어진 우리나라 산이나 공원에 감사합니다.

온종일 육체적으로 힘들고 정신적으로 소진한 날에는 넷플릭스 영화를 봅니다. 드라마 같은 시리즈물은 절대 쳐다보지 않습니다. 영화는 기껏해야 3시간 안에 끝나지만 드라마는 12편의 경우 최소 120시간 투자해야 하니까요. 시간 관리 전문가에게 적합하지 않고, 끝을 보길 좋아하는 저에게 치명적이므로 시작도 하지 않습니다. 넷플 영화는 게으름의 시작이자 중독의 조짐이 있으므로 조심스럽게 아껴서 꺼내는 카드입니다. 정말 시간이 남아돌아 할 게 없거나, 아니면 열심히 일한 저에게 주는 보상입니다. 다른 일로 하루가 온종일 충만한 주말이나 연휴에나 겨우 맛볼 수 있는 달달한 디저트입니다.

여러분이 좋아하는 취미는 무엇인가요? 어떻게 활용하고 계신가요?

운동선수는 아닙니다만

덴마크에서 바다 수영을 경험하며 한국에 오면 수영을 배우고 싶다고 생각만 했습니다. 그게 작년 8월이니 실천까지 6개월이 걸렸습니다. 적극적으로 배울 생각은 없었고, '언젠가병'에 걸린 그냥 버킷리스트 수준이라고나 할까요. 배우면 좋고 아님 말고 차원이었는데, 올해 여행을 대비해 필요성은 느끼고는 있었습니다. 그러면서도 수영강습 프로그램을 알아보지 않았습니다.

역시나 계기가 중요한데요. 최근 수영복을 선물 받아 실내 수영장에서 물놀이했습니다. 바다 수영의 추억을 떠올리며 수영을 배우고 싶다는 마음이 갑자기 간절해졌습니다. 마침 3월 1일이어서, 강습을 시작할 타이밍일 것 같았습니다. (놓치면 한 달을 더 기다려야 하는 마감효과) 부랴부랴 동네 문화센터에 전화해서 빈자리가 있는지 물었습니다. 새벽 6시 반은 마감이라고 하던데요. 도대체 아침에 일찍 일어나는 부지런한 분이 얼마나 많은 건가요? 다행히 7시 반은 마감되지 않았다고 해서 신청하러 갔습니다. 2달 정도만 배울 생각이었죠.

생애 첫 3개월 등록 시 1개월을 무료로 해준다는 말에 넘어가 4개월을 신청해 버렸습니다. 운명적인 만남이라고나 할까요? 아무튼 그 다음 주 월요일 새벽 얼떨결에 첫 수영 강습을 시작했습니다. 물놀이는 즐거웠는데 수영강습의 발차기는 어찌나 힘들던지요. 쉬었다 하겠다는 저를 선생님이 가만두지 않았습니다. 너무 무리했는지 감기까지 걸렸습니다. 감기 핑계로 수요일에는 '연기를 해야 하나?'라는 고민도 살짝 있었지만, 그냥 갔습니다. 다행히 조금 익숙해지는 느낌입니다.

평일 1시간 40분 동안 헬스하는데 이제 주 3회 1시간 수영까지 하게 되어, 운동에만 하루 3~4시간 이상 투자하게 되었습니다. 감기 걸린 체력으로 이번 주 3일 수영, 4일 헬스를 했네요. 마치 운동선수로 다시 태어난 기분입니다. 살면서 이렇게 열심히 운동한 적은 없는데요. 평생 운동으로 체력을 쌓지 않았기에 이제야 빚을 갚아나갑니다. 과연 수영도 헬스처럼 꾸준히 할 수 있을까요? 무엇보다 집 근처에 수영장이 있는 문화센터가 있어 감사했습니다. 바쁜 일상에도 새벽에 수영하고, 저녁에 헬스할 수 있어 감사합니다.

이렇게 말하지만 현실은 헉헉거리며 음파 연습과 발차기

로 헤매는 초보 수영 연습자입니다. 초보 중에서도 더 초보라 혼자 처지니 다른 회원분들께 미안했어요. 선생님께 왜 이리 호흡이 연결되지 않고 힘드냐고 했더니 체력이 부족해서 그렇답니다. 저금해 둔 체력이 없어서 그런 거겠죠? 시간이 지나면 조금 보강되리라 믿으며 열심히 음파 음파 외칩니다. 건강한 생활체육인이 되어 건강한 글 쓰겠습니다. 이렇게 선언하면 최소 신청한 4개월은 채우겠죠?

부록

고래이야기

나무늘보

고래이야기

"여기는 어떻게 운영되는 곳이에요?"

"누구나 와도 되나요? 회원제인가요?"

"책 대출되나요?"

고래이야기에서 많이 듣는 질문입니다. 큰길가 1층에 도서관이 있다니 어색할 법도 합니다. 2013년 제가 처음 이 공간에 왔을 때도 그랬으니까요. 고래이야기는 사립이지만 2011년부터 용산구청에 등록된 공공성을 가지는 작은도서관입니다. 누구나 함께 할 수 있어요.

이곳은 2008년 용산지역에 어린이도서관을 만들어 달라고 서명운동하던 주민들이 2009년에 직접 설립했어요. 처음에는 출판사 고래이야기의 배려로 사무실 공간 일부를 도서관으로 사용하다 2011년에 현재의 효창원로 157로 이전했습니다. 고래를 지키는 수호신처럼 든든한 주민들이 있었기에 후원만으로 작은도서관을 운영합니다.

운영진도 고래를 후원합니다. 대가 없이 오랫동안 자리를 지킨다는 게 쉽지 않은 일입니다만 고래이야기와 함께한 사람들이 성장하고 치유되는 모습을 보며 저희 또한 많이 성장했습니다. 2024년, 올해로 벌써 16년 되었네요! 그동안 도서관은 물론 휴식, 소통, 문화와 예술, 교육, 돌봄의 공간이 되었습니다.

그러나 지난 코로나 시기 후원도 많이 끊기고, 어려움이 많아 자립을 심각하게 고민했습니다. 운영하는 사람 각자의 삶 또한 돌봐야 했지요. 고민 끝에 2023년에는 사회적협동조합을 설립했어요. 현재는 비영리법인이자 공익법인, 그리고 예비사회적기업입니다. 법인설립 후 글 쓰기 프로그램, 교육 후견인 활동, 각종 소모임을 늘리며 동분서주 애쓰는 중입니다. 좀 더 많은 사람과 함께 이 공간이 살아 숨 쉬었으면 합니다.

"책이 있는 곳은 삶에 필요한 중요한 정보뿐만 아니라, 새로운 사람과의 만남까지

덤으로 얻을 수 있는 곳이다. 또한 문화를 생산하는 사람과 한 시대를 걱정하는 사람들,

그리고 한 사회의 모순을 지적하는 사람들 간 정보가 연결되는 통로다."

– 《유럽커뮤니티 탐방기》 중에서

고래이야기 작은도서관은 책을 좋아하고 사람과 사람 사이 마음의 벽을 허물고 싶어 하는 사람은 누구나 함께 할 수 있는 곳으로 아이들이 경쟁교육에서 벗어나 함께 어울리며 자라나는 따듯한 공간입니다. 사람과 사람이 연결되어 어린이와 어른 모두의 삶을 만들어가는 곳입니다. 그런 고래이야기의 취지를 지지해주시는 분들의 십시일반 후원으로 임차료를 감당하고 있습니다. 후원을 원하시면 홈페이지를 방문하세요.

www.bookwhale.org